그 매운 시 요리법

그 매운 시 요리법

전동진 시집

문학들

차례

제1부

제3부

제4부

제5부

스물다섯 해 전 길에서 떠난 친구 영정에 바친 약속을 이제야 지킨다. 시집의 맨 앞자리에 놓은 시는 그래서 사적이다. 눈시울이 잠시 따뜻해질까, 규연, 용화, 대범, 영도, 옥희, 은정, 은주… 벗들을 올 봄, 아버지 영정 앞에서 오랜만에 볼 수 있었다. 나라에는 너무도 크고 참담한 슬픔이 계속되고 있다. 자발적 수동성의 위력을, 위로를 실감하는 시절이다. 다시 20년이 걸릴지 모르겠으나, 다음 시집은 그때 거기 그 자리에서 최선을 다해 사랑하고 있을 이들에게 온전히 바치겠다. 그때까지 모두들 안녕해 주시라.

2014년 봄
전동진

제1부

바람이 분다

바람이 구계등九階燈을 밟고 오른다
아홉 길이나 자라나
갈문리葛文里, 억장 무너지는 황토마당
쏟아질 듯 보일 듯 말 듯
더듬어 보는 자리마다
요술지팡이처럼 어김없이 별은 생겨나리라
모든 항성의 빛들이 지구에 도착한다!
조막만한 지구는 대낮처럼 아플까, 슬플까
별빛, 별의, 날카로운 빛살
때늦은 황혼에 물드는 바다
회색빛 바다를 떠나오며
거기 남은 거인들의 소금 발자국
바람이 일어날 때마다 짜게짜게
발자국, 발자국 소리에
애비가 무덤을 들썩이는 소리
마당이 일어서는 소리
다시 바다가 핏빛으로 물드는 소리
정어리 빈 깡통에서 바람이 빠져나오는 소리

그 매운 시 요리법

　민물에 사는 온갖 비린 물고기, 야채는 안 가리고, 고
춧가루에 고추장은 한 큰술만, 개운한 것이 그만이면
아예 빼버려도, 대충 빻은 마늘은 어른 큰 주먹 하나,
된장은 마늘만큼 채에 걸러야 바닥국물까지 말끔하게
먹을 수 있다 세상에서 한 냄새 한다는 것들이 한 솥에
서 한바탕 난리법석을 떨고, 치고받고 꼬리도 쳐보고,
핥고 지우고 서로를 통과하면서

　　물고기가 사라지고
　　마늘이 사라지고
　　야채도 사라지고
　　고춧가루도 아가미 새로 사라지고
　　된장도 사라지고,

　세상에 처음인, 그러니까 딱히 적당한 말이 없어서 그
냥 참 뭐시냐 긍께 '그 매운' 것이 된다. 그러나 여기까
지여서는 아직 삼류다. 매운 것도 사라지고 그냥 "아 뜨
거 뜨거 아 뜨거 뜨거 너 때문에 내 가슴 불난다 불나"*

만 남을 때까지, 세상에서 독한 것으로 한 축 한다 하는
것들이 만나 서로를 다 지우고 '아, 뜨거'로만 남는다.
여기까지가 진인사盡人事다. 그 다음은 그날의 습도와
온도, 바람 한 줄금, 창 새로 스며든 햇살의 몫이다.

* 2010년 무렵의 유행가.

범고래의 푸른 원고지

손을 쓰는 것과 혀 놀리는 것 사이로
생이 한 번 꼬리지느러밀 치고

말문이 터지면 말의 파도를 타고
막히면 말은 범고래를 미끄럼 타고

휘파람 불며
정말이지 말하고 싶지만 말은 하지 않아도 좋고
정말 할 말이 없거나 말을 하면 사라져 버릴 것 같고
나는 당신의 입술에 서둘러 몇 글자를 끄적끄적

웬일이니!
입술을 훔치며, 당신은 손등에 묻어나는 글씨를 읽으
려다
그만 좌절하시네……
그때 괴는 침을 지느러미로 살짝 찰싹일 때
딸기맛이 배어 오르면

거기가 생이 꺾이는 지점

온몸을 솟구치면서 한 구절 시를 적는 범고래

푸른 바다는 아픈 기척을 보일 틈도 없이

지구에서 제일 큰 글씨들을 받아 부지런히 태평양 연안으로 나른다

한 구절의 詩가 개펄에 내려앉기가 무섭게 억만 마리의 게 떼들이 몰려와

한 나절을 읽고, 먹고 또 닳도록 읽으면서 침이 다 마르고

반달의 반

반달의 반쪽을 생각하는 날이다
늦게 저문 우수憂愁의 햇살이
가문 겨울 시내처럼 꼬리를 감추기 전에
뜬금없이 하늘 복판에서 불쑥 생겨난 반달
반의 실루엣 어린다, 환해진 저물녘으로 선하게 어른
거린다

보이는 것으로 볼 수 있는 보이지 않는 것
에서 생겨난 보이는 것의 이름들

반달의 반쪽, 그 반쪽의 반달
저 큰 어둠 속에서 달은 혼자 꽉 차고 비었다
텅텅 차오르면서 꽉꽉 지우는 달

끝내 사랑이 아니었던 것들로 하여
내 최선의 사랑은 아직 빙산의 일각

물길 태우며 오는

이루지 못하는 사랑이 아주 드물게 천년千年을 간다

부질없다
는 말
맹세
라는 말이 없다면 얼마나 쓸쓸해

사라진
이라는 말
잠시, 한숨으로 김을 빼고
인생, 세월 마지막 숨에 살짝 실려 보내면 어때

우리는 물처럼 섞여 서로를 구분할 수조차 없이 난
당신을 마셔, 지금, 지금, 지금,*

내 삶은 여전히 습생濕生이어서 풍장이 두렵다 말라
간다는 것 오그라든다는 것 어떤 기약도 없어 슬프다,
내 몸에서 꽃필 일 아득하다

* 영화 〈씬레드라인〉의 대사 중에서.

해남 가는 길

토독 토독
성긴 빗방울들, 비꽃이 핀다

백악기 비가 내렸다 순간, 덮쳐온 무수한 미혹迷惑의
먼지들 쌓이고 꽝 꽝 굳어진 개펄의 마음 위로 또 켜켜
이 내린 세월을 바다는 억 년을 핥아 끝내 우흔雨痕*으
로 피워 냈다

화석이 되어 버린 한 다발 비꽃
푸른 바다로 풀려드는 다시 억 년의 세월에 나,
몸 담그러 해남 가는 길

차창 가득 꽃이 핀다
둥글게 둥글게 꽃이 진다

* 빗방울 화석.

수화

막차에 오른 스물 무렵 두 사내
무람없이 뒤떠들며 너릿재를 넘는다

참! 고요도 하다 그 박장대소

벽나리에서 내린 이가 어둠을 등에 지고 커다랗게 한
마디를 던진다 초봄, 차창을 분주히 뛰다니는 남은 이
의 손길이 아쉽고도 따사롭다

숨 가쁜 손짓들이 유리창에 깃들 적마다
꾸욱 꾹 붙박이는 수화手話의 메아리

그 반향反響의 순간
손의 숨결이 피워 올리는 한 무더기 손꽃이 향그롭다

구름개 여인들

증조할머니 임리댁
며느리 장동댁, 손주며느리 미선엄마
작은할아버지 각시가 된 이 마을 처녀 작은할머니 본
촌本村댁, 강 건너 마을로 시집간 외할머니 구름개댁

그 마을에서 시집온 골모리댁 앞집에 살았던 얼국댁
시어머니 광주댁 이풍쟁이산 갈퀴나무를 서캐 내리듯
긁어가던 정동댁 겨울 한 철 사자소학四字小學을 외던
서당집 배봉댁 두 집 건너 당산보다 높은 강정댁 아래
집 운국댁 어머니가 아플 때면 대문 앞에서 칼로 바가
지를 깨게도 했던 새골댁 한 동네서 연분이 난 한골댁
바깥양반 이름으로만 남아 있는 삼십 년도 전에 돌아가
신 서남댁 근동에서 시집온 어리물댁이 그 집 아래에서
미수米壽를 바라보며 산다 아랫동 첫집 대모리댁, 웃동
끝집 기평댁, 도곡댁, 삼지네댁, 이양댁, 도림댁, 덕산
댁, 옥산댁, 송촌댁, 연동댁, 장흥댁, 감골댁, 도장굴댁,
동남댁, 남동댁, 삼태댁, 도성댁, 서산댁⋯⋯고루 골골
골짝 골짝에서 시집와 칠순을 팔순을 훌쩍 넘고 묻혀서

도 아흔도 넘게 사는 여인들, 그 한 터울 아래 이제 한 갑자甲子를 돌아나는 어쩌다 송정댁이라고 불리기도 하는 울 엄마 또래 한기엄마 끝양이엄마 인자엄마가 사는 운포雲浦 마을, 나루도 없이 나룻배도 한 척 없이 한 세월씩 두 세월씩 잘도 떠가네

안녕! 토끼야

왼쪽 복사뼈가 아프기 시작하자
사랑 같은 것은 씻은 듯이 나았다.
이번 사랑도 말끔하게 씻었다,
오른발 새끼발가락에 티눈 드셨다
사랑 박편 같은 것이 박혀도 이렇게나 아플까,
딱딱하게 걷기 시작하자 그리움까지 씻은 듯이 씻겼다

왼손 검지손가락 손톱달
떴다, 졌다, 떴다, 졌다, 이 깜박임은 무슨 신호일까?

올 가을에는 오른 발꿈치 타고 오르게 상수리 씨앗
하나 박혀왔음 좋겠다
그럼 내년쯤에는 다람쥐 한 마리 넣어 주고, 그 다음
해엔 포도나무 한 가지를 휘묻어 주겠다.

아미蛾眉*

간밤에는 그믐처럼 취했습니다

달을 지우는 여명처럼 씨줄 날줄로 날리는 말의 실타래, 저 고치를 뚫어야만 달뜰 수 있으리라 내 당신을 뚫지 않고서는, 우화羽化할 수 없으리

엄벙 엄벙 오르는 괴나리봇짐 달포길, 통일호 지나는 만경 철교에서 고치 벗겠네, 한 잎 한 잎 보름처럼 피어나는 개나리, 봄의 아미蛾眉가 초승처럼 당신 쪽으로 기울면 날개 돋겠네

달은 또 뜨고 봄은 새로 오리
개나리는 옛 개나릴 것인가, 또 그믐은 다시 사라질 수 있을 것인가 끝내 살아질 수 있을 것인가 내 첫 북행은 이번 우주에서는 마지막일 터,
당신과 교미交尾해야겠습니다

잠아 잠아 원잠아!

* 누에나방 눈썹.

25

제2부

나무, 꽃을 앞세우고

꽃나무, 꽃은 나무를 앞서 있다
있다는 것만으로 전체가 되고
자체로도 화두花頭다

오직 꽃, 나무는 말
꼬리 늘어뜨린 나무 푸른 그림자

꽃은 시들고 그림자만 서 있다
꽃은 씨가 되고 그림자 혼자 서서 푸르다
꽃은 시가 되고 곧게 늙은 그림자는
꽃의 말을 공중에 옮겨 적는다

하늘 높은 날
코스모스 떠난 코스모스가 바람을 탄다
무심필無心筆이다

아내의 시

아내는 좀 특별한 사람이다
'요즘 왜 시 안 써요'
아내가 긁는 유일한 바가지다

어느 아침 아내가 꿈 이야기를 한다
당신이 무심하게 시 한 편을 건넸어요
어찌나 감동스러운지 눈물을 다 쏟았지 뭐야
근데 기억이 안나 한 줄만이라도 당신한테 들려줄 수
있으면 좋으련만
고운 쌀밥 한 숟갈을 떠 넣으면서도
아내는 못내 입맛을 다신다

아내가 보았다는 내가 쓴 시를
나, 아직도 만나 보지 못했다

기인 동안 잠자고 짧은 동안 누웠을 때
짧은 동안 잠자고 기인 동안 누워 있을 때도*
묻는다,

꿈에서 깸으로 건너는 다리께, 먼동처럼
부서지는 내게

니가 내 아내에게 시를 준 나?

* 이상, 「지도의 암실」 모두冒頭에서.

눈의 시

밤새 눈이 왔다
골고루 내리지는 않고
주제에 따라서 깊게 쌓이고
더러는 위태하게 내려앉기도 했다

오늘의 시는 외줄 전화선 위에 있다
그러나 조바심 낼 일은 아니다
아직은
외줄을 타고 있는 것, 그 송이 송이가
눈의 몫인지
바람의 것인지
태양의 것인지 판가름 나지 않았다

그러니까 전혀 태가 나지 않았는데도
마치 기다렸다는 듯이
그걸 받아 적어 시인이 되어 버릴
운명을 타고난 자가 있을 것만 같은 날이다

특별한 색안경을 쓸 수도 없으니
이렇게 말간 아침에는
신神께서도 눈이 부실 일이다

쉬엄쉬엄 詩

넓은 세계를 다 알고 싶다,
매번 처음인 곳만 가 볼 수는 없잖아
– 매일 똑같은 시간에 똑같은 자리에서
거의 똑같은 포즈로 윗몸을 쉰 번 일으키기

돋는 빨래판 복근을 귀로(Guiro)*삼아 연주하면
당신은 삼바의 여인처럼 설레어 오고
단 한 번 정처도 없이 오직 처음인 곳을 찾아 헤매는
바람
그리고 언제나 처음인 당신!

날마다 한 편의 시詩라니

슬픔은 그림자가 너무 길어! 길이길이 길어서 길길이
날뛰어서 우연은 한 편H의 편백을 무심결에 스쳐 버린
둥근조각칼 한숨으로 찾아오지, 엄지손가락 손톱달 타
고 떠난 슬픔이 덜어간 목숨의 한 톨! 그걸 먹어본 것들
만 맛볼 수 있다는 사랑도 있지

쉬엄쉬엄 시詩라니!

* 표주박에 홈줄을 새겨 넣은 남미의 타악기.

릴케가 던진 공

내가 써 내린 글씨들 한 발 앞서 내려가
그대로 받아 읽는 동안은
모든 것이 나의 솜씨이며
또 나의 글이며, 살로 가는 글씨다
한 글자의 한쪽만 베어 물어도 금세 둥구나무가 자
란다

누군가가 던진 글씨를 받아먹는 동안에
나는 여러 차례 탈이 났고 죽을 듯이
아팠던 적도 있었지만
대부분은 배만 살짝 아프다 말았다

네 살배기 아이가 코앞에서
고무공을 힘껏 던진다
눈이 절로 질끈 감기는데
딱 달라붙는 것처럼 오른손에 잡힐 때
아이의 눈동자가 그리듯 써내리는 놀랍다는 술어
나는 그 무늬를 경이롭게 읽고 있다

이것이 세상의 능력*이건 신의 능력이건 상관없다
불현듯 손아귀에 착 달라붙어 온 한 편의 시,
누가 던진 신들 무슨 상관이 있으랴!

* 릴케의 시 중에서.

일식日蝕

해 먹다
해를 먹다
해 먹다 해가 먹다
헤헤, 잘 해 먹고 있습니다.

백주 대낮,
그러니까 저기쯤
텅 텅 빈 공중을
어제도
한 달 전 내일도
한 달 지나 모레도
겹, 겹으로 텅 빈 달은 지나고 있었다는 말이 아닙니
까.

해는 얼마나 당혹스러울까
새끼손톱만한 달한테 먹힌 셈이니까요

당신도 모르게

저 텅 텅 빈 하늘에
꾸준히 詩도 지나고 있는지는 아직은 모르겠습니다.

화사하다, 개구리

　가을 만연萬然의 정상 오르는 길목에서 몸 길길이 꼬는 꽃뱀과 마주하게 되었다 우선은 어쩌나 내 숨이 목울대를 오락가락하던지 놀랄 틈을 한참만에야 내게 되었는데 배리한 몸하고는 영판 다르게 눈망울은 순하디순하다 벌렁이는 마음이 살짝 뱀눈이 되려는 차에 아니다 뱀은 제 몸보다 세 곱은 두툼한 산개구리를 볼태기 상량上樑으로 밀어 넣고 있는 참이다 발버둥도 쳐볼 만큼 쳐봤다는 듯 앞발 늘어뜨린 개구리는 그 그렁그렁한 눈으로 '시詩 한 편 옮겨 줄 수 있겠느냐 보아하니, 보아하니……'

　새봄, 그 자리께 문득 꽃뱀 한 마리 폴 짝 폴 짝 뛰어가는 것을 본다

볼펜똥구리

세상 떠도는 이름 중에 제 의지는 별로 없다
남루한 인생일수록 그렇게 제 이름을 닮는다
그렇다 하더라도

말똥을 굴린다 말똥구리
소똥을 굴린다 소똥구리는
좀 너무한 것 아니야 하는 짧은 생각

말똥은 정말 희박해지고
소똥도 흔하지 않은 지금

뭘 굴릴까

말똥말똥 이 밤
시가 거의 사라지는 지금

우리 셋째

1. 꽃은 난리다

아내라는 자리에서
'시를 안 쓴다' 구박할 수 있다니,
둘도 없는 아내다
그날도 지분거리는 나를 침대에서
매몰차게 밀어냈다
아이 참! 얼른 가서 [시 써요]
넵! 하고 한달음에 달려가
말갛게 씻고 왔다 [씻었어요]
완전 어의 상실 무장 해제한 아내를
어르고 달래서 쓴 생애 최고의 시가 셋째다

2. 콩가루 고소하다

현관을 들어서자
백 일 갓 지난 녀석이 일흔도 넘은 아버지의 목소리
를 빌려 타고
'아빠' 하고 부르신다

"아빠 잘 다녀오셨어요"
"오냐, 잘 놀았어!"
"네에"
이런 콩가루 집안이 있나
　말은 찰지고 고소해서 아버지와 나는 마흔 해만에 마
주 보며 살짝 웃는다.

3. 또 시 써요

곧 다섯 살이 되는 셋째가 급하게 달려온다
"아빠, 핸드폰이 울려요."
"누굴 울려? 나쁜 핸드폰"
"아니고, 핸드폰이 운다고요"
"핸드폰이 울어, 어디 아파"
"아니고오, 잉, 아빠 나빠!"
"그럼, 그럼 아빤 경지빠지!"

듣고 있던 아내 '내가 못 살아'

두꺼비 독 맞은 화사花蛇마냥 몸을 배배 꼰다.

"왜! 그래요, 나 또 시 쓰까요"

만파식적萬波息笛

별나라에도 없을, 별아 너 거기에 있니
별아 별것들 다 트집 잡고 요구하고 욕하는 오지랖
그래도
몸의 맨 안쪽 길은 별을 닮는다
멀리 가 닿을 수 없는 우주의 별도 별이고 제 몸 반짝
이는 별을 다 썰어 볼 수는 없는데
  가령 파의 몸을 동글동글 썰면 별들이 맵게 떠오른다
  감자탕을 먹다 등뼈 골수를 쏙 뽑아 보면 별맛이다
  만 년 전에 별이 지나간 자리가 휑하다
  살짝 갈비뼈를 훑으면 마음 빈 밭처럼 허방 같은 소
리가 만져지기도 한다.

  당신 알아요
  만파식적
  대금이나 소금의 청공을 감싸 파르르르 한 백 년 묵
은 그리움까지도 파랑으로 일게 하는 것, 일생을 다해
백만 번 풀무질로 바람단련한 갈대의 속피라는 것

제3부

관음봉 삼거리에서

길은 직소폭포를 향해서만 열려 있고

세봉에 오르는 길은 '등산로 아님' 통나무가 가로막는다

너무 늦은 것인가

숨을 고르며 산을 등지면 오를수록 넓어지는 세상, 서해의 해무海霧에 그만 시계視界는 관음봉에서 멈춰 선다
오늘은 더 높아져도 더 넓어질 수는 없겠다

당신에게 가 닿던 길은 끊긴 지 오래
추억은 마른 길에 금세 깔리는 세월의 이끼, 그 위를 덮는 늦가을 낙엽 같은 것이어서, 어서 어서 길을 지우고 숲을 이룰 일이다

길을 막아 선 통나무 하나를 핑계로 돌아설 수 있다!

압록鴨綠*

　장마의 강, 강물 깊게 잠긴 푸른 하늘 에둘러 푸른 산 그림자 드리운 압록, 흙강의 마음은 하상단애河床斷崖

　당신과 내가 만나는 것도 저와 같아
　그 온기, 흐름과 그리움들 온전히 섞여 송정나루 화개나루도 지나 한 강으로 흐르도록 깎이고 무너지고 다시 추억의 편린들 흘러와 쌓이고 쌓이길······ 억 년 섬진의 마음으로 감겨 오는 것을

　강과 강이 부딪는다
　강물이 단애斷崖의 허방을 디딜 때마다 소용돌이로 떠오르는 흰 포말의 둥지를 박차고
　초록 오리 떼 날아오른다

＊ 보성강과 섬진강이 수직으로 합류한다.

노송의 화두

글 소리는 끊긴 지 오래다
버석이는 이파리 한 움큼 쓸며 가는 바람에도
삐걱거리는 세월, 쌓이는 장천재長川齋*
노송은 그만 계곡물 소리 따라 몸을 뉘였다
하늘 가득 붉은 별단풍
얼결에 꽃봉오리는 터지고 푸른 잎새 틈
무안해 꽃술 감춘 늦가을의 동백 세 송이
어디서 알고 날아왔나
동박새는 안달이다
부산히도 두드리는 붉은 목탁 소리, 또
애꿎은 별들만 우수수 져 내리는데
쭈뼛, 귀를 세우는 육백 살 소나무

천관天冠의 바람이 태고송太古松의 어깨를 타닥, 타닥
친다

* 장흥 천관산에 자리한 존재存齋 위백규 선생의 서재.

불면의 새

누가 나를 꼭 쥐네
모로 뉘인 굳은 몸을 날갯죽지로 품어주네
숨, 막혀,
땅 땅 대청마루를 찍는 소리 들린다

쥐똥나무 숲으로 날아간 돌멩이들
이파리처럼 떨어진 오목눈이 한 마리
두 손에 담고 달음박질 내달린다

맨발로 쫓아온 동무 하나가
대청마루를 막가지로 후린다
땅 땅 내 새 내놔라
땅 땅 내 새끼 내놔라

방문은 잠겨 있나
엄마는 언제 오시나
무서워 무서워 눈도 못 뜨고
바람일 거야 대숲을 들쑤시고 다니는

그 오후부터 잠들지 못해

땅 땅 내 새 내놔라
땅 땅 내 새끼 내놔라

시월에

왼 눈에 뛰어들어 생을 마감한,
누구일까

짧은 하루보다 더 소소한 한나절 꼬마하루살이
떼로 눈앞을 어지럽게 날던 눈에놀이
쫓아도 다시 날아와 늘 앞장을 서던 산길앞잡이

하루 한 계절 혹은 두어 계절로도
일생이 되는, 하는 모양대로 이름이 되는
가벼운 생들 중에도
구도求道하는 자가 있다는 것인가
운판雲版이라도 울려야겠다는 것인가

그의 사연과는 하등의 상관도 없을 텐데
왼 눈이 오래오래 울어주네

눈꽃
-어느 겨울, 노트에 쓰다

밤새 피어난 눈꽃
꼬박 하루를 견디다 눈물,
꽃부리로 얼어붙네
저물녘 새로 꽃이 앉네

한 번은 살려 달라
꽃잎 앞세워 창에 몸을 꺾는 바람
한 번은 죽여 버리겠다
눈들 몰고 와 유리창을 때린다

어린 여자에게 이렇게 썼다
사랑은 되지 마라 차라리 눈물이나 되라 한숨이나 되라 그러다 사리 같은 詩로나 되라 문득, 그렇게 不惑을 넘겨줄 그리움 하나 우담발라*로 피겠네, 라고

그 여자,
어느덧 마흔을 바라보고 있겠다

* 우담화(優曇華) : 삼천 년에 한 번 전륜성광이 나타날 때 피어난다.

미혹

　가을비 날리는 날, 송글송글 맺힌 빗물을 털며 미용
실 손잡이를 쥐다 멈칫 기지개를 길게 켜는 그녀를 본
다 퉁겨질 듯 그녀의 몸을 타고 내린 하루가 거뭇거뭇
흩어져 있다 콧노래를 타고 흐르는 지난 계절의 유행가
그녀의 어깨는 마감의 노래를 앞서 들썩이지만 빗자루
는 몽긋몽긋 낙엽을 쓸어 담듯 조심스럽다 함치르르 긴
머리는 지금 열애 중일까 이별을 예감할 땐 단발한 그
녀를 볼 수 있을까 긴 생머리 자락으로 나풀리는 그리
움, 솎아 내고 다듬을 수 있다면……

산길앞잡이

문득, 모르는 새에
앞길을 쫓겨 날아 쫓겨도 다시 날아와
끝끝내 산길 다 벗어나도록 눈 앞장서 주는,

미련
미련
미련
미련
미련
미련
미련
미련
미련 산길앞잡이

제4부

분디나무

한 겨울에야 익는다 분디나무 분디, 냄새가 역해 까치
밥 홍시 달린 초겨울까지는 눈 주는 새 없다는, 산천이
며 들길이 눈에 덮이고 날개의 길도 드문드문 이어질 때
새들은 그 똥내를 반갑게 만나 놓칠 새로 끊길 새라 더
듬어 분디를 먹는다는, 먹고는 금세 도망치듯 날아가선
똥 똥 씨들은 고스란히 양지 뜸에 낳아 준다는 여기 당
신의 겨울이 깊어지기만을, 분디나무 한 그루 서 있다

경행록에 이르기를

사람이 어느 곳에 산들
　　만나지 아니하랴

물 밑에서
이 년생 잠자리 애벌레, 강력하게 내지른 날카로운
아랫입술이 물의 결을 따라 쭉 뻗어가 올챙이 옆구리에
꽂히는 순간이다 혼비백산 흩어지는 친구들 혹은 형제
들 잊지 않으마 덕분에 곧 우리는 꼬리를 뗄 수 있을 것
이다

물 위에서 꼭, 그 시각
수면에 꼬리를 사르며 징검 알을 낳던 잠자리, 섶처
럼 떠다니던 개구리가 덥석 낚아챈다 감흥이라곤 없는
표정으로, 은의恩義, 수원讎冤 같은 것이 다 뭐냐는 듯
마른 날개까지 앞다리로 부벼 넣는다

물면을 사이로 참 자연스럽기도 하여라, 한국의 자연*

길 좁은 곳에서 만나면
　회피하기 어려우니라

* EBS 자연다큐멘터리 〈사냥꾼의 세계〉.

섬진강 갈대

백 리를 따라 흐르면
너를 놓을 수 있겠다
삼백 리 따라 흐르면
나도 풀려 강물 되겠다

흐르다 그리운 새벽
곡성나루 어드메쯤
허연 안개로 올라 살풀이로 너울너울
아침햇살 버거워지면 마른 잎새에 한숨 돌리고
또 그렇게 흐르겠다
나도 강물 되겠다

영하의 계절
겨울 강은 저미도록 깨끗하구나

차탁茶托을 깎으며

차꽃 이우는 가을 오후를 개미로 살았습니다

지난 여름 참나무 한 그루를 베었지요 다리목만한 나무의 몸은 놀랍게도 개미들의 집이었습니다 버팀목 하나 되지 못할 나무를 버리듯 응달에 던져두었습니다 한 계절이 지나고 문득 차향에 취해 개미의 옛집을 한 층 한 층 잘랐습니다 그 위에서 둥근칼을 물고 오후 내내 분주했더니 해지기 전에 동그마한 집 한 채를 얻을 수 있었습니다

참나무보다 단단한 당신 마음 위에도
차꽃보다 희디흰 찻잔 하나 앉히고 싶어집니다

찻잎 말리기

입하를 지나고 있습니다
마음 위로 또 한 마음이 포개지듯
다관에 물을 반 붓고 찻잎 띄워 마음마저 붓습니다
봄날에는 중차中茶를 냅니다

비 듣는 창가에는
다茶 내어준 빈 잎들이 여러 날 물기를 부리지 못한 채,
"말려서 어디에 쓰시게"
사람들 안부도 한 겹 음울陰鬱로 내립니다

베갯속으로 쓸 생각입니다
한 삼 년, 그래도 부족하다 싶어 이태쯤 더 모으면,
무명 베갯잇 당신 몸 마냥 부풀기도 할까
뒤척일 때마다 소삭 소삭 우러나올 이야기들

오늘처럼 해질 듯 젖은 날들도 방긋 몸을 풀고
그 아슴한 봄날과 여름 냇가
조계산이 이고 있던 흰 눈과 채석강의 노을까지

한 톨씩 한 줌씩 풀려 나와
세월의 아지랑이 흰 머리카락도 타고 올라
봄 햇살로 뛰놀리라
그 밤에는 꼬박 당신을 만나리라

봄비가 사흘째입니다
그만 오후에는 햇살이 들어주어야겠습니다

지나친 모험

아흔을 넘게 산 미국 사람들에게 하나의 질문을 던
졌다.

"구십 년 인생을 돌아보았을 때, 가장 후회스러운 것
은 무엇입니까?"

열에 아홉이 후회를 같이했다.

"좀 더 모험을 해 보았더라면 좋았을 것을……"

모험이라는 말이 의미하는 것에 대해서는 의견이 분
분하지만, 설마 정글이나 북극 탐험 같은 모험을 말하
는 것일까? 후회는 얼마나 달콤할 것인가 생각해 봐요,
글을 쓸 때 한순간 한순간 모험 아니었던 적 있었나, 세
월을 다 써 버려야 후회 같은 것 깃들 여지가 없지요.
달콤한 후회, 아흔에 돌아볼 일이 많아 맨날 돌아서 있
으면 죽음한테 뒤통수를 내어주기 십상, 별안간 찾아온
죽음은 얼마나 큰 유혹인가요.

아흔을 먹고도
처음 살아보는 하루가 있을까

그때도 첫눈이고 첫사랑이고
일까
난생 처음인 당신이 있을까

하루가 간다 또 하루가 간다

저기 멀리서 죽음이 저벅저벅 다가오면
떨까 떨릴까 그때도 조릴 가슴이 남아 가운데 손가락
흔들의자에 볼펜을 앉히고 멀리서부터 다가오는 죽음
의 실루엣을 스케치할 수 있을까, 지나쳐 볼 수 있을까

新신석기 – 상무동 이야기

우리나라 장성將星 부인 중에서는 전남여고 광주여고 출신들이 많다 – 지금은 장성長城으로 옮겨간 상무대로 훈련 온 초급 장교들, 들뜬 첫 나들이 충장로 금남로 나섰다가 고운 남도 가시내 눈길에 녹아내려 그만 앞장을 섰더란다. 검불 위를 달리는 불처럼 번져온 도시를 따라와 독 오른 독사처럼 또아리를 틀고 머리를 치켜세우는 콘크리트 더미들 군영 막사 자리엔 아파트 단지가 들어서고 영창이 있던 자리에는 5·18공원이 또 공영방송국이 들어서고 쓰레기 소각장도 위풍당당 굴뚝을 세웠다

그 상무지구 모아제일아파트 사모님들 직업으로는 농부가 단연 으뜸이라고 하는데……

아이들은 학교로 남편은 직장으로
모아제일 농부들은
호미 들고 모자 고쳐 쓰고
버들마을 예정 부지로 밭일을 나선다

배추 한 두둑, 고추 한 두둑,

들깨 한 고랑, 오이랑 애호박도 서너 넝쿨

반듯하지도 넘쳐나지도 않게

골라낸 돌들 쌓여 이룬 밭두둑은 이 밭 저 밭에서 기
어 나온

호박넝쿨들, 니 꽃 내 꽃 없이 어우러지는 또 한 세상
이다

메기 매운탕

눈알이 없는데도 눈물이 나오네
앞이 보이지 않아서 기뻐?
앞을 내다볼 수 없으니, 얼마나 다행
내 몸보다 물이 뜨거워지려면 아주 잠깐이겠지만
정말 속을 싸악 비운 맨몸으로 사랑 한 번 어때!

도랑에서 건져 올린 메기 두 마리로
매운탕을 끓였다
항암으로 입맛이 들쭉날쭉이신 아버지는
귀한 약처럼 한 그릇을 뚝딱 비우신다

맛있네, 맛나! 입맛이 싹 도네, 이런 맛은 딴 데는 없
제.
어머니한테 하시는 말씀이 나에게로 달려오는 저물녘
햇살에 시릴 눈이 없으니 얼마나 다행!

횡설수설

율곡 선생은 퇴계 선생보다 35년 아래다

좀 심하다 싶게 말하면 손자뻘이다.

직접 제자는 아니다.

도산서원에 찾아가 며칠 동안 가르침을 받았다

그 인연으로도 율곡 선생은 퇴계 선생을 깍듯이 스승으로 받들었다

(어떤 정치적인 셈법이 작용했을 수도 있다)

1501년에 태어나 1570년에 돌아가신 퇴계 선생의 향년은 69년이다.

스승의 상을 당해 34세의 율곡 선생은 이후 3년 동안 부인과 침실을 같이하지 않았다

요즘은 도저히 생각지도 못할 일이다

〈동아일보〉의 횡설수설

(당시 서른넷이면 중년, 아주 이른 이들은 손주도 생각할 나이 아닌가)

요즘은 정말이지, 도저히 생각지도 못할 일이다

더 횡설수설

영광군 무량면 삼학리에서 불갑사로 가려면 시산재
나 헐루게재를 넘어야 하는데 두 고개 다 무척 험했다.
시산재는 회산 마을 뒤에 닿고 헐루게재는 유봉 마을
뒤로 빠지는 고개다. 헐루게재는 그 목이 하도 좁아 오
고가는 사람이 맞닥뜨리면 마땅히 비켜 설 곳이 없어
껴안고 한 번 뒹굴어야 자리를 바꿀 수 있었다. 어느 쪽
으로 뒹굴까 잠시 망설이는 동안, 둘의 심사가 '헐루
게'가 아니었을까 싶은데 다른 이야기가 전한다

백 년도 훨씬 전, 한 포수가 삼학리 앞을 지나
고 있는데 헐루게재에서 사람 살리라는 처녀의
비명 소리가 들려와 쫓아갔다. 비명을 지른 처녀
는 혼자서 이 고개를 넘다가 목을 지키던 나무꾼
에게 붙잡혀 겁탈을 당하게 되어 소리를 쳤으나
당하고 보니 맛이 괜찮았으므로 수고한 나무꾼의
땀을 닦아 주었다. 처녀를 구하기 위해 쫓아간 포
수가 이 꼴을 보고 화가 나 두 남녀를 쏘아 죽이
고는 관가에 찾아가 "두 연놈이 헐떡거리고 있어

서 죽였다."고 자초지종을 털어 자수한 뒤부터
헐루게재가 되었다는 것이다.

－『전남의 傳說』

포수는 도대체 왜, 미루어 짐작해 볼 바는 무궁무진,
하지만…… 요즘은 정말이지, 도저히 생각지도 못할 일
이다

제5부

흰소리

힌놈의 골짜기(Hinnom ---)[기²] 구약 시대의 예루
살렘 남서쪽으로 4~5리 떨어진 곳의 골짜기. 어린아이
들을 불살라 우상에게 제사하였으며 쓰레기를 불사르
는 곳이었다

- 『국립국어연구원 표준국어대사전 하』, 7151쪽, 힐긋

간밤, 흰소리로 잘못 알고 찾다 만남, 그놈 참, 그 이
름 참, 하다 잠들다

출근 시간이 다 끝나가는데도 마소는 다닐 수 없다는
자동차 전용도로는 여전히 숨 가쁘다, 얼마나 많은 생
명들이 이 뻥 뚫린 제단 위에서 속도의 우상에게 받쳐
진 것인가

무섭다,
시속 100Km를 추월해 달리는 쏜살같은 승합차 뒷유
리에 붙어 있다

"아이가 타고 있어요"

땅의 폐경

한삼넝쿨은 작년까지 해서 지난 모양이다. 이태 동안 온 집터를 덮을 것 같더니 올해는 한 귀퉁이 여린 얼굴로 쭈뼛거린다. 꽃필 틈 주지 않고 가차 없이 쳐냈다. 그래야 제자리가 아닌 것을 안다. 올 봄에는 잠깐 민들레가 한쪽에서 눈치를 보았으나, 흰 민들레만 씨를 날리고 노란 민들레는 솎아졌다. 이름을 알 수 없는 풀들이 보름 상관으로 돋아났다. 제때 쳐주지 않았으면 풀의 무리들 거기가 마땅한 자리인 양 오해는 순식간에 퍼진다. 각양각색의 풀들은 행여 하는 마음으로 차례를 기다려 돋아났지만, 마음 한 자락도 주지 않고 예초기로 잘라내고 있다. 순해진 그늘이 채 엷어지기도 전에 다음 차례의 풀들이 돋아났다. 장마 빗줄기를 타고 띠들이 집터를 장악했다. 장마 탓에 보름이 훌쩍 지났으니, 띠들의 오해로 제 차례에 돋아보지 못한 풀들은 어김없이 내년 장마를 종그고 있으리라. 살구나무 그늘 쪽으로 들깨들이 무성하다. 들깨의 땅을 에둘러 나머지는 또 다 쳐냈다. 다음 주나 그 다음 주에는 어떤 풀들을 쳐낼 수 있을까?

대지 위로 솟아오른 풀의 꽃의 향기의 경험적
보편성과 강제적, 획득적 보편성 말고 흙과 흙
사이에서 때를 기다리는 씨들을 엄지손가락 지
문 이랑에 잠시 옮겨 선험적 구상력을 십분 발휘
함으로써 씨 한 톨의 독립적인 계기를 예술의 경
지로 끌어 올릴 수 있는 솜씨야말로 흰줄Ⅹ무늬
검은발등族이 영혼에 수놓고 싶은 표식이다!

- 가다머氏 언술을 가져다가

　　여든다섯 평 땅을 집터로 마련해 두고 10년이 될지
20년이 될지 집 한 채 올리고픈 욕심은 아득하다. 놈
부끄러워 밭에 풀 나는 것이 제일 무섭다는 어머니는
제초제 독하게 푼 농약기계를 지고 밭으로 향하실 때마
다 집터를 들먹이신다. 먼 고생이냐 이것 한 통이면 일
년은 게안헐 것인디, 어떤 부모가 새끼들을 제초제 맞
아 죽은 땅에서 기른다요, 더 징헌 소리로 엄포를 맞놓
으며 광주로 돌아오는 길이다. 한 십여 년 남짓 연년이

철철이 다달이 보름보름, 씨 한 톨까지 탈탈 털어내고 나면, 마지막 차례에 집 한 채 불쑥 돋아나겠네! 시답잖은 시 한 줄 베어 물고, 배시시 아내를 본다. 씨앗들 차례차례 부려 버릴 때마다 흙은 얼마나 가벼워질 것인가! 벌써 그날의 아내는 우리 집 마당이 된 맨살의 땅을 쓸어주며 무슨 이야기를 드문드문 들려준다, 또 무슨 이야기를 찬찬히 듣고도 있다. 둘이는 이렇게 십수 년 전에서 보아도 참말 친하다.

똑바로 흐트러지다

똑바로 취하라는 말이다
그래야 그림자의 춤을 지켜볼 수 있다

당신이 올 때도 갈 때마저도
모든 바람과 인연을 맺고 싶어할 때마다
숨 한 번 드날 때조차도

오만 관중 들어찬 잠실 야구장의 환호성이나 삼십만
조문객이 환하게 울던 서울시청 광장이나 한 점의 그림
자가 애드벌룬처럼 몸을 빠져나와 햇살에 춤춘다

수만 점 수십만 점 점묘화의 그림자, 춤을 춘다

흰줄☒무늬검은발등族

2009년 5월 23일, '광주망월묘역 역사의 門'으로 아래의 시를 읽으러 가던 길에 노무현氏 어디로? 돌아갔다. 다들 그를 보내주지 않기로 작정했나 싶었지만 잠시다, 감당할 수 없는 일상이 이미 이들 종족의 운명인 것을. 그러자 오래 꿈만 꾸기로 했던 독립국은 아니더라도 새론 부족部族 하나 나서야 하는 것은 아닌가 생각은, 미쳤다, 밤말은 쥐가 듣겠지, 낮말은 새가 듣더라도 그래도 급살急煞 맞게 생긴 생각이 급물살 탄다.

'아주 작은 비석' 아래 한 획의 역사를 꿈꾸던 자者, 점點·점點이 되어 앉아 있거나, 누워 있거나, 서성이고 있겠다 빛도 바순 화가, 쇠라의 환생을 기다려 그를 영원의 캔버스에 흩뿌리게 할 것인가.

목숨을 끊을 수는 없다 담배를 끊기로 한다 너무 이기적인 것은 아닌가 싶다 술마저 끊기로 한다 그러자 가정에 평화와 웃음이 찾아온다 나라꼴은 관심 밖, 어린 사람들 무서워하는 것은 무서운 관심 혹은 무관심,

돌 지나는 쌍둥이가 가르쳐 준 것이다

아들 전경인全耕人과 의義를 나란히 실은 유모차 밀고
둑길 나설 때면 어김없이 발등에서 X로 교차하는 샌들
을 신기로 한다. 발만 시커면, 잘 태운 아이들에게는 세
살부터 같은 문文의 샌들을 권장하게 된다.

흰줄X무늬검은발등족族의 시원始原이다. 이 부족部族
의 사명은 발등으로 빛의 점묘點描를 받아내는 것이다.

아래의 시

꽃 나팔 소리 아침이다

영원한 날을 여는 초인超人의 음표는 방울, 방울 이슬
에 깃들어 있다

꽃 나팔 소리 저녁이다

마지막 날을 닫는 미륵의 돌쩌귀 소리에 놀라 한 줄

햇살은 서둘러 빗장을 건다

시간의 지도리는 바람의 강물을 타고 저 혼자도 열렸
다 저 혼자도 닫혔다 소리도 없고 춤도 없는 노래, 아직
이슬에서 깨어나지 못한 음표들

아직은 죽을 때가 아닌데……*

꽃이 핀다 색도 향도 없이 소리로, 소리로 피는 꽃은
노래가 된다 소리로 피는 꽃은 마음의 귀를 타고 온몸
으로 흘러 영원의 문에 닿아 부서진다

어린 인간의 욕欲을 소진하기 위해, 민족도 민주도 통
일도 우리마저도 넘어 오로지 오롯하게 나로만 남기 위
해 물과 빛과 소금으로 된 태초의 인류가 되기 위해 곡
기를 끊어 나 아닌 나를 핥아먹던 날들의 긴 고통 그러
나 마지막 날은 언제나 너무도 갑자기 도래하였으니

아직은 죽을 때가 아니어서

몸을 열고 마음을 지나 영원의 문을 열고 들어선 사람이 있었다

그를 불러, 물이 된 삶들, 빛이 된 삶들, 소금이 된 삶들, 끝내 노래가 된 삶들이 여기에 다시 모여 그가 든 영원의 문을 오늘 온몸으로 두드리고 있다

* 박관현의 묘비에 새겨져 있는 죽지 않는 말.

양자시학, 물 위를 걷는

역학은 역술이라는 말로도 풀리지요. 여기서는 별로 상관이 없을까만, 주역을 천 번 읽고 물 위를 달리던 여자를 전설의 고향에서 본 기억은 있습니다. 주역은 한 번을 제대로 읽지 못했지만 독서의 중요성을 배웠습니다. 사람이 물 위를 달리다니요, 그럼 사람을 넘어서지요, 사람 아니라는 증거로 물 위를 걸었던 사람의 이야기는 다들 아시죠. 역학은 역술로 풀어 봐도 괜찮겠네요.

지금 와서는 역학 앞에 양자를 달아야 제격이지만요, 뉴턴氏는 사과의 낙하를 보면서 중력을 생각하였다 하고요 한 알의 사과가 떨어져서 지구가 죽을 듯이 아팠다는 시인 이상의 말을 이해하기 위해서는 양자가 필요하지요.

가령 사과를 1억 배 확대하면 지구만 해진다니, 강주먹으로 한 대 맞으면 한 사흘 욱신거리지요. 사랑 같은 것으로 제대로 한 방 먹으면 한 삼 년은…… 아니 아직까지도, 죄송합니다 말을 돌려야겠습니다.

진창이 하나 있습니다, 그 위를 한 번 달려볼까요. 가랑이에 진창물이 묻지 않게 하려면 시커먼 속이 홧홧하

게 드러날 정도로 내리찍는 도끼발을 하고 목도리도마
뱀의 속도로 뛰면 되지요.

진창 같은 마음을 요동치게 하는 것은 그렇게 텅텅
허방 찍고 가는 바람 자국 같은 것인데, 좀 흘러보라 마
음 벽 한 귀퉁이를 허무는 위로로는 도마뱀은 고사하고
구렁이 담 넘어가듯, 움직이는 척, 아니 움직이지 않은
것 같지도 않게 움직, 이다, 말다, 쩍쩍 갈라지면서 갑
골문으로나 말라가네요.

우릴 움찔하게 만드는 것들이 있지요. 하필이면 왼쪽
가슴 아래께에 온 통증* 같은 것들! 이것이 입자로 올
까 파동으로 올까 백 년 뒤 노벨물리학상은, 그건 아니
라는 것만을 증명해 줄지도 모르지만요, 지구는 제가
무엇 때문에 죽을 듯 아팠는지 여전히 모르는 것 같습
니다.

* 장석남의 시에서.

총알수태

화살 날아가는 것을 굼벵이 기는 것처럼 부감俯瞰할 수 있게 되었으니 오만도 좋고 거만도 얼마쯤은 괜찮겠다. 신神의 눈이란 것이 이 정도! 화살 아흔아홉 개가 쏟아져도 가볍게 비집고 가서 시위가 채 제자리를 찾기도 전에 궁수들 따귀를 골고루 한 때씩 갈기고도 남겠다. 한참 더 고차의 눈으로 총알을 보면 총알은 정말 파고들지 않고서는 견딜 수 없겠다는 듯이 돈다. 1초에 4000바퀴를 돌며 쏜살로 날아간다. 화살 잡는 눈보다 세 차원쯤 높은 눈 그러니까 우리 우주와 이웃 우주, 그리고 또 몇 개의 우주까지 관장하는 신의 눈으로 보자면 제아무리 걷잡을 수 없이 휘감아도 굼벵이 낯짝이다!

총알머리에는 꿈틀, 종잡을 수 없는 것이 하나쯤을 달라붙어 있어, 한 편의 시가 될 여지를 언제든지, 얼마든지, 어디서든지 남겨 두고 있다. 가령 다음과 같은 일도 있었다는데 확인할 길은 없다.

극단적인 예지만 총알임신(Bullet pregnancy)이라는 것이 있다. 유명한 학술잡지인 『Lancet』

에 소개된 드문 사례인데 2차 대전 당시에 성경
험이 전혀 없는 소녀가 자궁 외 임신을 했다 원인
을 찾고 보니 총알이 독일군 병사의 고환을 관통
해서 소녀의 복강내에 박혀 버렸는데 이때 총알
을 타고 정자가 이동을 했던 모양이다.

- 블로그 "내가 편애하는 것들에 관하여"
(Http://blog.naver.com/yschoimd?Redirect=Log&logNo
=20119488795, 검색일 2012년 12월 1일)

마왕의 섹스

　이 시대의 마왕으로 불리는 철학을 전공한 가수가 한 TV프로그램에서 혹시 자신이 변태성욕자는 아닌지 죄책감에 시달린다는 시청자의 사연을 듣자마자 일갈로 고민을 날려 준다
　"내 차 트렁크에는 지금도 세라복이 실려 있다."
　일순 정적, 속에서 누구도 먼저 적당한 말도, 웃음도, 탄성도 끄집어내지 못한다. 항상 싣고 다니는 것은 아니고, 그래서 그것을 아무한테나 마구잡이로 입히려고 하는 것은 더더구나 아니고, 아내의 것인데 세탁을 맡겼다가 찾아가는 길에 깜박 잊고 내려놓지 못한 것이라는 말이 일사천리로 이어지면서 전모가 드러나고 말았다.
　한쪽에서는 어떻게 공인이 그럴 수 있느냐 불같이 성을 내고, 한쪽에서는 그렇게든 저렇게든 아내랑 불타오르는 것이 무슨 허물이냐, 부러워서 그러는 것 아니냐 등등 한동안 설왕설래로 피차가 오랜만에 즐거워 보였다.

　흠뻑 젖은 몸을 일으키며 놀란 눈으로 아내가 가끔 말한다

'오빠야! 내가 이렇게 될 줄은 진짜 몰랐다, 호호호
호'

중이염과 이명

세면대 가득 찬물을 받고 이를 닦다 이게 무슨 소린
가 도심의 복판으로 범종 소리 온다 그럴 리 없어, 잘
잠긴 수도꼭지에서 아직까지도 한 방울씩… 한 방울
씩… 물방울이 수면을 때린다

둥근 파문이 직사각형의 거푸집에 차곡차곡 쌓여도
나이테 두르지 못하고 무슨 결의나 다지듯이 스크럼을
짜고 일렬로 달려 나와 저희끼리 얼키설키 사라진다 한
움큼 가슴에 산 같은 당신이 첨벙 빠져 죽는다는데도
마음 우는 줄 몰랐다니

귀는 중이염을 앓은 적이 없다 한다 이명은 또 바람
소리로 올 것이다

94

프리지어

붓 끝에 이는 바람 하늘을 받치는 나무 그림쟁이 친
구 편백나무는 가이아의 붓이었다가 주먹이었다가 거
리를 가득 메운 사람들은 낯설다 사탕바구니를 든 남자
한 팔에 떼로 몰려와 매달리는 붉은머리오목눈이 떼들
시간 한 올 빈자리 한쪽 사람도 한 줌 골고루 이겨서 마
음에 방 하나 들이고 싶다 당신이었으면 하고 나직하게
충장로를 걷는다 뜨끈한 단술 한 잔은 참 많은 것을 깨
어나게 한다 마음에서 붉어진 검게 그을린 후레지아 한
단, 만 단의 주먹이 사랑도 명예도 이름도 남김없이*
부르던 아리랑 한 곡조로 때 아닌 봄을 불러**볼 수 있
을까

* 「님을 위한 행진곡」.
** 이용악의 「전라도 가시내」.

오월의 화전花田

그해 겨울, 큰 고니도 죽은 듯 머리를 묻던 속가슴 깃털 같다, 저기 소복소복 흰 국화 송이송이, 한 꽃잎 떼어다 그대 묘석에 살포시 대이면 후욱, 금방이라도 오월의 숨결을 타고 사뿐 날아오를 것 같네

꽃잎 내려앉은 자리마다 들불 번지겠네 그 불길 따라 피어나는 오월의 화전花田, 형형색색形形色色 꽃치레로 피었던 개나리 진달래 벚꽃이며 목련들 한 차례 몰려간 뒤

저기 조팝꽃이 피네 보릿고개 꼴깍꼴깍 넘겨주던 산에 들에 쌀밥보다 희게도 모락모락 이팝꽃 피네

오월에 피는 꽃은 밥이 되는 꽃

소꿉사랑 밥이 되고 찬이 되고 또 무명실에 꿰어 언약의 목걸이로 빛나던 산에 들에 마을에 감꽃이 피네

오월에 피는 꽃은 살이 되는 꽃

한 잎 가득 베어 물면 방울방울 허기진 마음도 넉넉
하게 달래 주던 아카시아, 흰 풍경風磬으로 울려 퍼지네

오월에 피는 꽃은, 오월에 피는 꽃은……

마로니에 꽃차례에 한 등, 한 등, 꽃등이 불을 밝힌다.

영원한 그리움과
새로운 재생의 역설적 시간성

이성혁 문학평론가

1

전동진 시인의 첫 시집 『그 매운 시 요리법』은 시집 명에서도 짐작할 수 있듯이 시론의 성격을 띤 시들이 많이 실려 있다. 시집명에서 우리는 이 시집이 '시 요리법'을 담고 있다고 생각하게 되는데, 정말로 이 시집에서 창작과정에 대한 시편들을 다수 볼 수 있는 것이다. 그만큼 시인은 창작과정 자체에 대한 고심을 하고 있다고 하겠는데, 그 고심은 시의 본질에 대한 사유와

연동된다. 전동진 시인이 서정시에 대한 연구서와 비평집을 펴낸 연구자임을 생각하면, 이는 자연스러운 일일 테다. 그런데 시인이 만들고자 하는 시는 '매운 시'다. 시의 맛은 달콤한 맛도 있을 것이고 쓴맛도 있을 것이다. 질긴 맛도 있을 것이며 부드러운 맛도 있을 것이다. 시의 맛을 시의 서정성이라고 한다고 할 때, 시의 서정은 다양한 스펙트럼을 가지고 있는 것이다. 전동진 시인은 그중에서 매운 서정의 시를 요리하고자 한다. 매운 맛이란 어떤 맛인가. 정신이 번쩍 드는 맛, 땀을 뻘뻘 흘리게 만드는 맛 아니겠는가. 그렇다면 시집명을 볼 때 전동진 시인은 독자의 정신을 활성화하는 서정을 창출할 것을 시작詩作의 목표로 삼고 있다고 말할 수 있겠다. 표제작의 후반부를 인용해 본다.

세상에 처음인, 그러니까 딱히 적당한 말이 없어서
그냥 참 뭐시냐 궁께 '그 매운' 것이 된다. 그러나 여
기까지여서는 아직 삼류다. 매운 것도 사라지고 그냥
"아 뜨거 뜨거 아 뜨거 뜨거 너 때문에 내 가슴 불난다
불나"만 남을 때까지, 세상에서 독한 것으로 한 축 한
다 하는 것들이 만나 서로를 다 지우고 '아, 뜨거'로만
남는다. 여기까지가 진인사盡人事다. 그 다음은 그날

의 습도와 온도, 바람 한 줄금, 창 새로 스며든 햇살의
몫이다.

－「매운 시 요리법」 부분

　위의 시는 사투리를 활용한 일상어로 써져 있지만,
전동진 시인의 시에 대한 포부와 시론을 엿볼 수 있다.
시인은 시가 '그냥' '매운' 것에 그치고 말면 '삼류'라
고 생각한다. "매운 것도 사라지고" 사람들이 "너 때문
에 내 가슴 불난다 불나"라고만 말할 수 있을 정도로 매
워야 진짜 매운 시라고 생각하는 것이다. 매운 맛을 넘
어 불처럼 뜨거운 맛이 되기. 시인이 목표로 삼은 '매
운 시'다. 시인은 왜 이렇게 매운 시를 쓰고자 하는 것
인가? 그러한 시가 세상의 독한 이들을 만나게 하고는
이들 "서로를 다 지우고 '아 뜨거'로만 남"도록 하기
때문이다. 사람들을 뜨거움으로 용해시킬 수 있는 시를
쓰는 것, 그것이 전동진 시인이 갖고 있는 시작의 포부
인 것이다. 하지만 시인은 '주체중심주의'적인 사고를
하고 있는 것은 아니다. 그는 시를 요리하는 데 있어서
시인 주체의 한계(盡人事)가 있다고 말한다. 그에 따
르면, 매운 맛의 정도는 습도, 온도, 바람, 햇살 등이 그
날 어떠한가에 따라 정해지기도 하기 때문이다. 즉 시

작에 임한 시인이 정동情動되고 있는 세계가 어떠한 상
태에 있는가에 따라 서정성의 양상은 다르게 나타날 수
있다는 것이다. '별맛'을 내는 서정시 요리 과정을 보
여주고 있는 아래의 시를 보자.

　　별나라에도 없을, 별아 너 거기에 있니
　　별아 별 것들 다 트집 잡고 요구하고 욕하는 오지랖
　　그래도
　　몸의 맨 안쪽 길은 별을 닮는다
　　멀리 가 닿을 수 없는 우주의 별도 별이고 제 몸 반
짝이는 별을 다 썰어 볼 수는 없는데
　　가령 파의 몸을 동글동글 썰면 별들이 맵게 떠오른다
　　감자탕을 먹다 등뼈 골수를 쏙 뽑아 보면 별맛이다
　　만 년 전에 별이 지나간 자리가 휑하다
　　살짝 갈비뼈를 훑으면 마음 빈 밭처럼 허방 같은 소
리가 만져지기도 한다.

　　당신 알아요
　　만파식적
　　대금이나 소금의 청공을 감싸 파르르르 한 백 년 묵
은 그리움까지도 파랑으로 일게 하는 것, 일생을 다해

백만 번 풀무질로 바람단련한 갈대의 속피라는 것

— 「만파식적萬波息笛」 전문

『삼국유사』에 그 일화가 전해지고 있는 '만파식적'은 알다시피, 통일신라시대 나라 안팎의 문제를 해결해 주었던 영험한 대나무 피리다. 『삼국유사』에 따르면, "이 피리를 불면 적군이 물러가고, 병이 낫고, 가물 때는 비가 내리고, 장마 때는 비가 그치고, 바람이 그치고, 파도가 잠잠해졌"다고 한다. 김부식은 『삼국사기』에서 이 만파식적 이야기를 대금의 원류라고 간략하게 소개하면서도 괴이해서 믿지 못하겠다는 말을 덧붙였는데, 거의 모든 현대인들도 김부식과 같이 생각할 것이다. 하지만 전동진 시인은 '만파식적'의 힘을 믿고 있다. 그 피리 소리가 사람들의 마음을 움직인다는 점에서 그렇다. 즉 '만파식적'이 지닌 소리의 힘은 바로 시의 서정성과도 같다. 그런데 시인에게 그 힘은 원 이야기에서처럼 파도를 잠잠하게 하는 것이 아니라, 반대로 "한 백 년 묵은 그리움까지도 파랑으로 일게" 한다.

시의 서정이 지닌 만파식적의 힘은 마음속에 묻힌 그리움과 같은 정서들을 다시 불러일으켜 물결을 불러일으키는 것이다. 매운 시가 사람들의 마음에 불을 지르는 것처럼 말이다. 그러니까 시는 마음에 만개의 파도를 불러일으키는 만파식적이다. 시는 만 명의 마음을 일렁이게 한다. 하여, 시 쓰기는 대금 연주를 하는 것과 같다. 그런데 대금의 청아한 소리는 '청공'이라는 얇은 막으로 덮여 있는 구멍으로 인해 생긴다고 한다. 그 막이 바로 '청'인데, 청은 갈대 속에 붙어 있는 얇은 막, 즉 "갈대의 속피"로 만들어진다. 시인은 청이 형성되기 위해서는 "백만 번 풀무질"의 "바람단련"이 필요하다고 말한다. 시를 이 대금과 유추하여 생각한다면, 시는 이러한 단련을 통해서야만 청공과 같은 말의 '속피'를 얻을 수 있으며, 그때 청아한 서정을 흘려보낼 수 있게 될 것이다.

위의 시의 1연은 그러한 시의 소리를 얻기 위한 창작 과정, 요리 과정을 보여주고 있다고 생각된다. 시 쓰기 요리는 "제 몸 반짝이는 별을" 써는 일에서부터 시작한다. "파의 몸을 동글동글 썰면 별들이 맵게 떠오"르는 것은, 그것이 파의 별을 썰었기 때문일 것이다. 또한 감자탕의 "등뼈 골수를 쏙 뽑아 보면 별맛"인 것은, 그것이 그 등뼈가 "만 년 전에 별이 지나간 자리"이며, 그렇게 그 자리에서 삭은 별의 맛이 "등뼈 골수"에 배게 되었기 때문일 것이다. 한편 등뼈 골수의 맵고 별난 맛은

"살짝 갈비뼈를 훑으면 마음 빈 밭처럼 허방 같은 소리"로 전화되기도 하는데, 그 "마음 빈 밭"이 백만 번의 "바람단련"을 견디어낼 때 '청'을 얻을 수 있게 될 것이다. 그래서 청아한 서정시를 얻기 위해서는 만 년의 세월이 필요하며 백만 번의 풀무질이 필요하다. 푹 삭은 서정은 별과 세월과 바람의 힘으로 이루어지지, 시인 주체의 힘으로만 이루어지지 않는 것이다. 시를 요리하는데 시인의 주체성은 "몸의 맨 안쪽의 길"을 주체 외부의 별과 닮게 노력하는 데에 투여되며, 또한 '바람 단련'을 견디어내는 데에서 발휘된다. 시인의 주체성은 저 세계를 좌지우지하는 데에서 드러나는 것이 아니라, 이렇게 이 세계를 인내심 있게 수용하는 데에서 드러나는 것이다.

2

만 개의 파도를 일으키는 시. 전동진 시인은 이 만파식적의 시를 시의 이상, 시의 이데아로 생각한다. 그렇다면 시인에게 시인의 이데아는 무엇일까? 아래의 시에 따르면, '범고래'다.

손을 쓰는 것과 혀 놀리는 것 사이로
생이 한 번 꼬리지느러밀 치고

말문이 터지면 말의 파도를 타고
막히면 말은 범고래를 미끄럼 타고

휘바람 불며
정말이지 말하고 싶지만 말은 하지 않아도 좋고
정말 할 말이 없거나 말을 하면 사라져 버릴 것 같고
나는 당신의 입술에 서둘러 몇 글자를 끄적끄적

웬일이니!
입술을 훔치며, 당신은 손등에 묻어나는 글씨를 읽
으려다
그만 좌절하시네……
그때 괴는 침을 지느러미로 살짝 찰싹일 때
딸기맛이 배어 오르면

거기가 생이 꺾이는 지점
온몸을 솟구치면서 한 구절 시를 적는 범고래
푸른 바다는 아픈 기척을 보일 틈도 없이

지구에서 제일 큰 글씨들을 받아 부지런히 태평양

연안으로 나른다

　　한 구절의 詩가 개펄에 내려앉기가 무섭게 억만 마

리의 게 떼들이 몰려와

　　한 나절을 읽고, 먹고 또 닳도록 읽으면서 침이 다

마르고

– 「범고래의 푸른 원고지」 전문

　　범고래와 범고래가 하는 말은 서로가 서로를 도와주
는 존재다. 범고래는 "말문이 터지면 말의 파도를 타
고" 가기도 하고, 말문이 "막히면 말은 범고래를 미끄
럼 타"기도 한다. 말과 범고래는 서로 도와가면서 바다
속을 유영하면서 살아간다. 그렇게 범고래의 '생'은 육
체적 행위와 말 사이에서 전개된다. "손을 쓰는 것과
혀 놀리는 것 사이"에서 "꼬리지느러밀 치"면서 범고래
는 바닷속을 헤쳐 나가는 것이다. 시인이 저 범고래의
생에서 부러운 것은 행위와 말이 서로 이끌어 주고 있
다는 점에 있을 것이다. 시인은 "정말 할 말이 없거나
말을 하면 사라져 버릴 것 같"은, 말에 대한 일종의 두
려움을 가지고 있는 것을 보면 말이다. 그 두려움은, 시
인이 행위로 말을 전달하고자 시도했으나 실패했던 일

에서 생긴 것 같다. 즉 "당신의 입술에 서둘러 몇 글자를 끄적끄적" 거린 키스 말이다. 그러나 "입술을 훔치며, 당신은 손등에 묻어나는 글씨를 읽으려다/그만 좌절"해 버리고 말았던 것이다. 말을 해 버리면 사라져버릴 것 같은 말을 키스라는 행위로 대신한 것인데, 그키스가 뜻하는 말은 '당신'에게 전달되지 않았다.

이에 시인은 "괴는 침을 지느러미로 살짝 찰싹일" 뿐이었나 보다. 그러나 저 꼬리지느러미를 치면서 생을밀고 나가는 범고래를 보라. 범고래는 "온몸을 솟구치면서 한 구절 시를 적는"다. 그 시는 말과 행위의 결합을 통해 밀고 나가는 범고래의 생이 바다 위로 솟구치면서 써지는 것이다. 생을 주조하는 모든 조건들 위로솟구칠 때, 시는 탄생한다. 여기서 시인은 광대하고 대범한 이미지를 전개시킨다. 자신의 몸에 아프게 새겨질"지구에서 제일 큰 글씨들을 받아 부지런히 태평양 연안으로" 나르는 일을 해 주는 푸른 바다의 이미지도 그렇지만, 그렇게 "개펄에 내려앉"는 "한 구절의 시詩"를"한 나절을 읽고, 먹고 또 닳도록 읽"는 "억만 마리의게 떼들"의 이미지가 그렇다. "지구에서 제일 큰 글씨"라든지, "억만 마리"와 같은 극대의 이미지는 독자에게어떤 트임의 감각을 가져다준다. 전동진 시인은 이러한 이미지들을 통해 인간 의식의 좁은 한계를 벗어나 범 우주로 우리의 상상력을 고양시키려고 하는 것이다.

시인은 우리의 좁은 의식을 깨트리고 상상력을 트이게 하는 시야말로 시의 이상이라고 생각했기에 그러한 이미지들을 대범하게 만들어 낸 것—이 시집에서 그러한 대범한 이미지들을 적잖이 찾아낼 수 있다—일 텐데, 바다에서 솟구치며 쓰는 범고래의 시야말로 그러한 시의 이상을 보여준다고 할 수 있겠다. 그리고 그 이상적인 시에는 인간을 포함한 자연의 억만 존재자들이 호응하면서 그 시를 읽고 뜯어먹는다. 이러한 이상적인 시를 쓸 수 있는 범고래야말로 시인의 이데아라고 할 것인데, 전동진 시인은 자신이 이러한 시인의 이데아에 도달하기엔 아직 멀었다고 생각할 것이다. 그래서 시인 자신은 범고래와 같은 저 자연적인 존재가 쓰는 시를 받아 적는 일이 시인으로서 자신이 해야 할 수 있는 일이라고 마음먹게 될 수도 있을 것이다. 아래의 시편들을 읽어보자.

꽃은 시들고 그림자만 서 있다
꽃은 씨가 되고 그림자 혼자 서서 푸르다
꽃은 시가 되고 곧게 늙은 그림자는

꽃의 말을 공중에 옮겨 적는다

하늘 높은 날
코스모스 떠난 코스모스가 바람을 탄다
무심필無心筆이다

                           – 「나무, 꽃을 앞세우고」 부분

오늘의 시는 외줄 전화선 위에 있다
그러나 조바심 낼 일은 아니다
아직은
외줄을 타고 있는 것, 그 송이 송이가
눈의 몫인지
바람의 것인지
태양의 것인지 판가름 나지 않았다

그러니까 전혀 태가 나지 않았는데도
마치 기다렸다는 듯이
그걸 받아 적어 시인이 되어버릴
운명을 타고 난 자가 있을 것만 같은 날이다

                                   – 「눈의 시」 부분

「나무, 꽃을 앞세우고」는 심오한 내용을 담고 있는 시다. 이 시에서의 '꽃'은 자신을 시로 전화시키는 시인이다. 즉 저 자연존재인 꽃은 범고래와 같은 시인이면서도 그 자신이 시인 것이다. 어떻게 어떤 존재가 시인이자 시일 수 있는가? 시를 읽으면서 좀 더 생각해보자. 저 시는 시들고 있다. 그러나 그림자는 혼자 남아 서 있다. 저 늙어가는 꽃은 그림자에 자신의 존재성을 건네주고 있는 것인데, 결국 꽃은 시들면서 자신의 존재성을 시의 씨로 변화시켜 그림자에게 전달한다고 하겠다. 그래서 그림자는 늙으면서도 역설적으로 '곧게' '푸르'를 수 있는 것이며, 범고래가 쓴 시를 전달했던 바다처럼 시─'꽃의 말'─를 "공중에 옮겨 적"어 우리에게 전해 줄 수 있는 것이다. 자신의 존재성을 떠나 시가 된 꽃이 바로 "코스모스 떠난 코스모스"라고 할 것이며, 꽃의 그림자가 공중에 전달한 그 '꽃의 말'은 바람을 타고 하늘 높이 날아가면서 '무심필'로 글자를 적는다.

시인은 저 코스모스 그림자의 '무심필無心筆'에 전염되듯이 '무심無心'한 상태에서 시를 쓸 수 있기를 바라지 않았을까. 적어도 시인은 자연이 쓰고 있는 시를 사심 없이 받아 적는 일이야말로 시인으로서 할 일이라고 생각한 듯하다. 「눈의 시」를 보면 그렇다. 이 시에 따르면, 시인은 세계에 내재되어 있는 시를 발견하고, 이를 받아 적어야 하는 운명을 사는 사람이다. 매번 시는 다른 곳에서 발견될 것인데, '오늘'은 "외줄 전화선 위에"서 발견되고 있다. 하지만 시를 받아 적는 일은 시를 발견하자마자 즉시 이루어지지 않는다. 저 시를 받아 적기 위해서는 많은 노력이 필요한 것이다. "외줄을 타고 있는 것, 그 송이 송이가/눈의 몫인지/바람의 것인지/태양의 것인지 판가름"을 해야 저 시를 받아 적을 수 있다. 다시 말하면 시는 시적인 사태만을 발견한다고 받아 적을 수 있는 것은 아니며, 그 사태와 다른 존재자들과의 관계를 투시해야 비로소 온전히 시를 받아 적을 수 있는 것이다. 그래서 시인은 투시력을 지녀야 한다. 시적 투시력으로 "보이는 것으로 볼 수 있는 보이지 않는 것/에서 생겨난 보이는 것의 이름들"(「반달의 반」)을 읽어낼 수 있어야 한다. 하여, 시인은 보이는 것에서 보이지 않는 것을 보며 보이지 않는 것에서 보이는 것의 이름을 읽는 작업을 해나가게 될 터인데, 아래에서 보게 되듯이 그 작업은 그리움의 정동을 불러일으키게 될 것이다.

3

　　가을비 날리는 날, 송글송글 맺힌 빗물을 털며 미용
실 손잡이를 쥐다 멈칫 기지개를 길게 켜는 그녀를 본
다 퉁겨질 듯 그녀의 몸을 타고 내린 하루가 거뭇거뭇
흩어져 있다 콧노래를 타고 흐르는 지난 계절의 유행
가 그녀의 어깨는 마감의 노래를 앞서 들썩이지만 빗
자루는 뭉긋뭉긋 낙엽을 쓸어 담듯 조심스럽다 함치
르르 긴 머리는 지금 열애 중일까 이별을 예감할 땐
단발한 그녀를 볼 수 있을까 긴 생머리 자락으로 나풀
리는 그리움, 솎아 내고 다듬을 수 있다면……

－「미혹」 전문

　　미혹이란 대상에 홀려 마음이 어지러워지는 것을 의
미한다. 위의 시에서 시인은 누구에게 미혹당하고 있는
가? '그녀'이다. 아마도 그녀는 미용실 직원인 듯한데,
시인이 잘 알고 있는 사람은 아닐 것이다. 그러나 그녀
가 "멈칫 기지개를 켜는" 모습을 보았을 때, 그는 미혹
된다. 그럴 때가 있다. 평소에 심드렁하게 생각했던 대
상임에도 불구하고, 그가 어떤 단순한 몸짓을 할 때 마
치 취한 것처럼 그 몸짓에 미혹당할 때가 있는 것이다.

시인도 바로 그러한 경험을 하게 된 것일 텐데, 그것은 보이는 대상으로부터 보이지 않는 것을 보게 되었기 때문이다. 그것은 "그녀의 몸을 타고 내린 하루가 거뭇거뭇 흩어져 있"는 이미지다. 그 '거뭇거뭇'이라는 시어는 그녀의 몸에 묻은 머리카락에서 시인이 그 이미지를 떠올린 것임을 암시한다. 시인은 그 잘린 머리카락에서 무장 해제되어 흩어진 시간을 투시하게 된 것일 테다. 즉 그는 기지개를 길게 켜는 그녀의 몸짓에서 시간의 관능성을 투시하면서 미혹을 느끼게 된 것인데, 그녀가 콧노래를 부르는 철 지난 유행가는 더욱 나른한 시간의 감각을 미용실 안에 퍼뜨린다.

시인의 미혹은 늘어지는 시간이 제공하는 기억에 의한 것이기도 하다. 그녀가 머리카락을 빗자루로 "몽굿 몽굿 낙엽을 쓸어 담듯 조심스럽"게 쓸어 쓰레받기에 담듯이, 시인은 그녀의 몸짓이 창출한 늘어진 시간 속에서 기억들을 조심스럽게 마음속에서 꺼내 의식에 담을 것이다. 그 기억은 "함치르르" 긴 생머리 나풀리던 여인에 대한 것이다. 기억에 떠오른 그 여인의 긴 생머리 이미지는 그리움의 정동도 나풀리게 만든다. 아마도 그 그리움이 시인의 마음을 아프게 하기에, 그는 그리움을 "솎아 내고 다듬을 수 있"기를 바라며 여인에 대한 기억과도 이별해야 한다고 마음먹는 것 같다. "이별을 예감할 땐 단발한 그녀를 볼 수 있을까"라고 시인이 중얼거릴 때, 그 이별이란 기억 속의 이별 아니겠는가. 긴 생머리의 이미지가 시인에게 너무 강렬하기 때문에, 그 단발한 이미지로 생머리 이미지를 지워야 여인에 대한 기억과 이별할 수 있는 것이다. 하지만 시인은 '당신'에 대한 그리움을 쉽게 떨치지 못할 터, 이 시집에서 짙은 서정성을 담은 시편들은 그 깊은 그리움과 만남의 열망을 토로하면서 이루어진다.

> 장마의 강, 강물 깊게 잠긴 푸른 하늘 에둘러 푸른
> 산그림자 드리운 압록, 흙강의 마음은 하상단애河床斷崖
>
> 당신과 내가 만나는 것도 저와 같아
> 그 온기, 흐름과 그리움들 온전히 섞여 송정나루 화
> 개나루도 지나 한 강으로 흐르도록 깎이고 무너지고
> 다시 추억의 편린들 흘러와 쌓이고 쌓이길…… 억 년
> 섬진의 마음으로 감겨 오는 것을
>
> ― 「압록鴨綠」 부분
>
> 간밤에는 그믐처럼 취했습니다

달을 지우는 여명처럼 씨줄 날줄로 날리는 말의 실
타래, 저 고치를 뚫어야만 달뜰 수 있으리라 내 당신
을 뚫지 않고서는, 우화羽化할 수 없으리

　엄벙 엄벙 오르는 괴나리봇짐 달포길, 통일호 지나
는 만경 철교에서 고치 벗겠네, 한 잎 한 잎 보름처럼
피어나는 개나리, 봄의 아미蛾眉가 초승처럼 당신 쪽으
로 기울면 날개 돋겠네

　달은 또 뜨고 봄은 새로 오리
　개나리는 옛 개나릴 것인가, 또 그믐은 다시 사라질
수 있을 것인가 끝내 살아질 수 있을 것인가 내 첫 북
행은 이번 우주에서는 마지막일 터,
　당신과 교미交尾해야겠습니다

　잠아 잠아 원잠아!

- 「아미蛾眉」 전문

　위의 인용 부분을 읽어 보면, 전동진 시인에게 그리
움의 서정은 시간에 대한 사유와 밀접하게 결합된다는

것을 알게 된다. 시인의 설명에 따르면, '압록'은 "보성강과 섬진강이 수직으로 합류"하는 곳이다. 즉 그곳은 "한강으로 흐르도록 깎이고 무너지"는 곳이다. 물론 시인이 '압록'을 시 속으로 불러오는 것은 자신의 마음을 표현하기 위한 것일 터, 저 압록의 모습은 바로 "당신과 내가 만나는" 마음의 이미지를 제공한다. 당신과 나의 만남은 실제의 만남이 아니고 마음속에서의 만남이다. 시인이 당신을 떠올리자, 저 압록처럼 "흐름과 그리움들 온전히 섞"이면서 마음은 "깎이고 무너지고"만다. 그리움의 흐름이 시인의 마음을 그렇게 고통스럽게 하는 것이다. 하나 당신을 기억해 낸 후엔 그 그리움의 흐름을 제어할 수 없다. 시인에 따르면, 저 압록에서 억년 동안 섬진강과 보성강의 만남이 이루어졌듯이 "추억의 편린들 흘러와 쌓이고 쌓이길" 멈추지 않게 되는 것, '억 년'은 영원의 시간에 근접한다고 할 때 그 진술은 추억이 흘러 마음에 쌓이는 일은 영원하다는 의미를 갖는다.

그래서 시인에게 당신에 대한 그리움은 시간의 흐름 속에서 역설적으로 영원하다. 한 사람에게 어떤 감정은 영원히 사라지지 않고 남는다. 삶의 흐름 속에서 사라졌다고 생각했더라도, 어느 순간 그 감정은 심장을 아

116

프게 찔러오는 것이다. 이러한 흐름의 시간과 영원의 역설적 관계는 「아미」의 인용 부분에서도 찾아볼 수 있다. "달은 또 뜨고 봄은 새로 오리"라는 시인의 진술은 영원한 시간의 순환을 말해준다. 하지만 그 진술에는 반복을 의미하는 '또'와 소멸과 생성을 의미하는 '새로'라는 부사의 상충이 일어나고 있다. 그래서 시인은 그 진술에 이어 "봄의 아미가 초승처럼 당신 쪽으로 기울"고 있어서 "보름처럼 피어나는", "개나리는 옛 개나리일 것인가"라고 말함으로써 다시 봄이 와 핀 개나리가 옛 개나리와 같은 개나리인지 다른 개나리인지 확정할 수 없다는 태도를 보이게 되는 것일 테다. 이러한 태도는 세계의 시간은 영원히 순환되지만, 한편으로 어떤 존재는 사라지거나 변화하는 동시에 또 다른 존재가 생성되는 변증법을 시인이 감지하고 있음을 나타낸다.

영원과 소멸, 영원과 변화의 역설적 변증법은 그리움의 감정에 잘 해당된다. 그리움의 감정이 영원하게 되는 것은 당신이 사라졌기 때문이다. 소멸이 영원성을 뒷받침한다. 시인이 "그믐은 다시 사라질 수 있을 것인가"라고 말할 때, 아마도 그리움을 못 견뎌 술에 취했을 '그믐'의 '간밤'이 다시 사라질 수 있을 것인지 물어보고 있는 것일 테다. 그것은 그믐달처럼 나방 눈썹

같은 부분만 남기고 그리움이 사라질 수 있을 것인가라는 질문이리라. 더 나아가 시인은 그렇게 그리움이 사라진 채 "끝내 살아질 수 있을 것"인지 묻는다. 시인은 그러지 못하리라는 것을 알고 있다. 그는 새로 피어나는 개나리, 즉 새 봄을 보기 위해서 만경철교를 지나 '북행'하고 있지만, 그 개나리는 옛 개나리가 아닐 것이기 때문이다. 즉 당신을 만나 그리움으로 가득 찬 그믐밤에서 벗어나리라고 기대하지만, 그 당신은 옛 당신이 아닐 것임을 시인은 예감하고 있다. 그렇기 때문에 그리움은 사라지지 않을 것이며, 그리움 없이 살아질 수 없다는 것임을 말이다.

당신과의 만남이 그리움을 사라지게 하리라는 자신의 기대를 충족시키지 못할 것임을 알기에, 시인은 당신과 만나기 위해 '첫 북행'을 하면서도 그 북행이 "이번 우주에서는 마지막일 터"라고 말하고 있는 것일 테다. 다만 시인은 저 그리움의 그믐달, 즉 그리움의 눈썹을 당신과 나누기(交眉)를 바랄 뿐이다. 이에 따르면, 모든 존재는 사라지기 때문에 아이러니하게 그리움은 사라지지 않으며, 그래서 우리는 이렇게 그믐달같이 가느다란 그리움을 나누면서 관계를 새로이 만들어 갈 뿐이다. 그러나 그러한 '아미'의 '교미'를 통해야만 그믐

달은 보름달 쪽으로 기울 수 있으며, 개나리는 피어난
다. 즉 해소되지 않는 그리움이 아이러니하게도 봄을
이곳으로 잡아당기는 것이다.

　4

　3절의 마지막 부분에서 언급한 바를 다시 말해 보면
이렇다. 새로 온 봄은 그리움을 벗겨내지 못할 것이지
만, 도리어 봄은 그렇게 사라지지 않는 그리움을 당신
과 '교미' 함으로써 비로소 이 땅에 새로 도래할 것이라
고. 그래서 시인은 결코 비관적이지 않다. 그는 그리움
이 해소될 수 없다고 하더라도 당신과의 만남을 포기하
지 않는다. 아래의 시를 읽어 보자.

　　오늘처럼 해질 듯 젖은 날들도 방긋 몸을 풀고
　　그 아슴한 봄날과 여름 냇가
　　조계산이 이고 있던 흰 눈과 채석강의 노을까지
　　한 톨씩 한 줌씩 풀려 나와
　　세월의 아지랑이 흰 머리카락도 타고 올라
　　봄 햇살로 뛰놀리라

그 밤에는 꼬박 당신을 만나리라

봄비가 사흘째입니다
그만 오후에는 햇살이 들어주어야겠습니다

- 「찻잎 말리기」 부분

　"봄비가 사흘째" 내리고 있다. 시인은 "그만 오후에
는 햇살이 들어주어야겠"다고 원하면서, 봄 햇살이 곧
이 세상을 비추어 "봄 햇살로 뛰놀"며 '꼬박' 당신과
만날 수 있으리라는 기대를 포기하지 않는다. 그 햇살
이 "세월의 아지랑이 흰 머리카락도 타고" 오르더라도
말이다. 즉 시인은 시간의 흐름을 슬퍼하지 않는다. 시
간이 흘러 흰 머리카락이 생기더라고, 그 위에 피어나
는 봄이 있다고 믿기 때문이다. 그래서 당신에 대한 영
원한 그리움은, 시간의 흐름 속에서 청춘이 소멸하고
있음에도 불구하고 영원한 기대로 전화된다. 또한 그
'그리움-기대'가 봄을 이곳에 미리 당겨온다고 한다
면, 그것은 '시간의 흐름-청춘의 소멸'을 봄 햇살로 뛰
노는 신생으로 전화시킨다고 할 것이다. 시인의 시적
시간관에 따르면, 그리움과 기대를 영원히 기울일 때
'소멸-죽음'은 '생성-신생'으로 전화될 수 있는 것이

다. 그 신생을 표현하는 꽃은, 다음과 같이 사람들이 살육되었던 5월에 피는 꽃에서 찾아볼 수 있다.

그해 겨울, 큰 고니도 죽은 듯 머리를 묻던 속가슴 깃털 같다, 저기 소복 소복 흰 국화 송이 송이, 한 꽃잎 떼어다 그대 묘석에 살포시 대이면 후욱, 금방이라도 오월의 숨결을 타고 사뿐 날아오를 것 같네

꽃잎 내려앉은 자리마다 들불 번지겠네 그 불길 따라 피어나는 오월의 화전花田, 형형색색形形色色 꽃치레로 피었던 개나리 진달래 벚꽃이며 목련들 한 차례 몰려간 뒤

저기 조팝꽃이 피네 보릿고개 꼴깍꼴깍 넘겨주던 산에 들에 쌀밥보다 희게도 모락모락 이팝꽃 피네

오월에 피는 꽃은 밥이 되는 꽃

소꿉사랑 밥이 되고 찬이 되고 또 무명실에 꿰어 언약의 목걸이로 빛나던 산에 들에 마을에 감꽃이 피네

오월에 피는 꽃은 살이 되는 꽃

한 잎 가득 베어 물면 방울방울 허기진 마음도 넉넉
하게 달래 주던 아카시아, 흰 풍경風磬으로 울려 퍼지네

오월에 피는 꽃은, 오월에 피는 꽃은……

마로니에 꽃차례에 한 등, 한 등, 꽃등이 불을 밝힌
다.

　　　　　　　　　　　　　　　　　　　－「오월의 화전花田」 전문

　이 시가 시집 맨 마지막에 실려 있다는 것은 의미심
장하다. 이 시를 읽어 보면, 시간에 대한 시인의 깊은
사색은 바로 여기에 이르기 위해 진행된 것이 아니었나
생각되기도 한다. 또한 그의 그리움은 어쩌면 5월에 죽
은 이들에 대한 것일 수도 있겠다는 생각도 든다. 그렇
다면 그의 시는 "그대 묘석에 살포시" 대인, "흰 국화
송이"에서 떼어 낸 한 꽃잎이라고도 할 수 있겠다. 그
가 그리움의 '꽃잎-시편'을 묘석에 바친 것은 이를 통
해 신생의 봄을 이곳으로 끌어당길 수 있으리라 기대했
고 예감했기 때문일 것이다. "꽃잎 내려앉은 자리마다

들불 번지"면서, 이 묘지가 온갖 '형형색색' 봄꽃들의
불로 피어나는 화전(花田-火田)이 되리라는 기대 말이
다. 그런데 이때 시인이 주목하는 것은, 그 '형형색색'
꽃들이 "한 차례 몰려간 뒤"에 "쌀밥보다 희게도 모락
모락" 피어나는 '조팝꽃'과 '이팝꽃', '감꽃'과 '아카
시아' 등이다. 이 꽃들의 외형과 색은 한국인이 전통적
으로 입었던 흰 옷처럼 소박하지만, 그것들은 밥이 되
고 살이 되는 "오월에 피는 꽃"들이다. 그것들은 가난
한 사람들이 배고팠을 때 먹곤 했던 꽃들로, 실제로
"보릿고개 꼴깍꼴깍 넘겨주던" 꽃들이었던 것이다.

그래서 저 소박한 꽃들은, 시인에 다르면 사람들의
삶을 살리는 꽃들이었으며 그래서 "언약의 목걸이" 같
이 "마음도 넉넉하게 달래 주"는 꽃들이었다. 저 꽃들
의 시각적이면서 미각적인 이미지가 "풍경으로 울려
퍼"진다는 청각적 이미지로 변모할 수 있는 것은, 그것
들이 마음에서도 피어날 수 있었기 때문이리라. 죽음을
위로하는 국화의 '흰 색'은 저 꽃들에 이르러 사람들을
살리는 '쌀의 색'으로 다시 의미화 되고, 그 색은 사람
들의 마음을 달래주는 소리로서 공중에 울려 퍼진다.
그래서 다시 그 청각적 이미지가 공중에 "불을 밝힌"
'꽃등'의 이미지로 전환되는 것은 자연스럽다. 절간에

서 들리는 '풍경' 소리가 전환된 이미지인 '꽃등'은 해탈과 같은 불교적인 의미를 가지는 동시에 죽은 이의 부활을 의미한다. 묘석에 바쳤던 흰 국화가 형형색색의 들불과 같은 꽃들을 거쳐 밥과 같은 아카시아로 전화됨으로써, 죽음을 상징하는 꽃은 삶을 상징하는 꽃에 이르게 되었던 것이다. 이 죽음과 재생이 융합된 이미지가 바로 저 불 밝힌 '꽃등'이다. 그러한 꽃등이 되는 시, 먹을 수 있는 꽃과 같은 시가 되는 것이 바로 시인의 시작이 도달하고자 하는 시라고 할 수 있다.

그래서 죽음과 재생의 깊은 사유를 보여주는 위의 시를 읽으면서, 이 시집의 제목이 왜 '매운 시 요리법'인지 이 시집의 끝에 이르러 다시 한 번 생각하게 된다. 그래서인지 시집을 덮기 전에, 시집의 첫머리를 다시 펼쳐 아래의 시를 읽게 된다.

바람이 구계등九階燈을 밟고 오른다
아홉 길이나 자라나
갈문리葛文里, 억장 무너지는 황토마당
쏟아질 듯 보일 듯 말 듯
더듬어 보는 자리마다
요술지팡이처럼 어김없이 별은 생겨나리라

모든 항성의 빛들이 지구에 도착한다!

조막만한 지구는 대낮처럼 아플까, 슬플까

별빛, 별의, 날카로운 빛살

때늦은 황혼에 물드는 바다

회색빛 바다를 떠나오며

거기 남은 거인들의 소금 발자국

바람이 일어날 때마다 짜게짜게

발자국, 발자국 소리에

애비가 무덤을 들썩이는 소리

마당이 일어서는 소리

다시 바다가 핏빛으로 물드는 소리

정어리 빈 깡통에서 바람이 빠져나오는 소리

－「바람이 분다」 전문

　완도에 위치한 갈문리, 그곳엔 어떤 내력이 있는 것일까? 시인이 "억장 무너지는 황토마당"이라고 그곳을 표현하고 있는 것을 보면 말이다. 위의 시는 퍽 상징적이어서, 구체적인 내력을 알려주지 않는다. 시인은 "구계등을 밟고 오른" '바람이' 마치 옛 일을 기억하기 위해서인 듯, "더듬어 보는 자리마다" "어김없이 별은 생겨나리라"고 추측하고 있을 뿐이다. 지구의 한편에서 대낮에 생겼을 그 옛 일이란 슬프고 아픈 일 아니었겠는가. "모든 항성의 빛들이 지구에 도착"하는 "때늦은 황혼"으로 "지구는 대낮처럼 아플까, 슬플까"라고 시인이 묻고 있는 것을 보면 말이다. 그러나 지구가 슬플지 아플지에 대해 시인은 더 이상 언급하지는 않는다. 이어서 시인은, 바다에 도착한 거인들—저 날카로운 별빛들—이 남긴 발자국이 바람에 일어나 소리를 일으킬 때, "애비가 무덤을 들썩이"고 "마당이 일어서"며 "다시 바다가 핏빛으로 물드는 소리"가 난다는 것을 기록하고 있는 것이다.

그러한 소리들은 "정어리 빈 깡통에" 들어갔다 빠져나오는 바람에 의한 것, 그 바람은 무너지는 마당을 더듬으며 별을 생겨나게 했으며 바닷속에서 나온 거인들의 발자국 소리를 불러오기도 했던 것이리라. 이 시에서 바람은 별과 함께 중심적인 상징인 것인데, 그것은 죽거나 사라진 것을 불러일으켜 이 현실로 데려오려고 하는 힘 또는 망각된 것을 기억에 떠오르게 하는 힘이라고 할 것이다. 그렇다면 별은, 현실에 잠재해 있는 죽거나 사라진 것, 또는 망각된 것의 상징이라고 할 수 있다. 하여, 시집 첫머리에 실린 「바람이 분다」 역시 시집 마지막에 실린 「오월의 화전」처럼 어떤 슬프고 아픈 죽음(소멸)과 그 죽음의 재생에 대해 상징적인 수법으로 진술하고 있다고 하겠는데, 전자가 재생이 시작되는 과정을 보여주고 있다면 후자는 그 재생이 완결되는 과정을 보여준다. 즉 시집의 구성을 통해 보자면, 전동진 시인에게 죽음의 재생은 바람에 의해 생겨나는 '별'로서 이루어지기 시작하여 우리에게 밥이 되는 '꽃등'으로서 완결되는 것이다. 이 시집은 천공의 별로 나타난 죽음이 우리 옆의 꽃등으로 전화되면서 재생하는 과정을 『그 매운 시 요리법』으로 요리된 시편들을 통해 보여주고 있다.

전동진

전라도 화순 구름달동네에서 태어났다. 2003년 『시와정신』 신인상을 수상했으며 저서
로는 『서정의 윤리』, 『서정시의 시간성 시간의 서정성』 등이 있다.

e-mail | cloudmoon@hanmail.net

문학들 시선 025
그 매운 시 요리법

초판1쇄 찍은 날 | 2014년 6월 2일
초판1쇄 펴낸 날 | 2014년 6월 12일

지은이 | 전동진
펴낸이 | 송광룡
펴낸곳 | 문학들
등록 | 2005년 8월 24일 제2005 1-2호
주소 | 501-841 광주광역시 동구 천변우로 487(학동)2층
전화 | 062-651-6968
팩스 | 062-651-9690
전자우편 | munhakdle@hanmail.net

ⓒ 전동진 2014
ISBN 978-89-92680-81-3   03810